MERCE ET L'INDUSTRE

Martinique is a green island anchored in the deep blue waters of the Caribbean Sea. It lies about 1400 miles off the coast of Florida. The mountains of Martinique rise and then plunge steeply into valleys filled with fern, bamboo and a profusion of tropical growth. Waving, shimmering fields of sugar cane, banana plantations, and pineapple farms cover the lower hills. Fishing villages display mazes of nets stretched between bamboo poles on black sand beaches, where blue, green and yellow sailing boats glisten in the brilliant sunlight.

The island, with its capital at Fort-de-France, became a French possession in 1635. Since 1848 the people of Martinique have enjoyed full French citizenship. A handsome, vigorous people, speaking French and a native Creole dialect, they dress brightly, inspired by the many-colored flowers and fruits of their island.

Earl Thollander

THE FRENCH TRANSLATION

POUR ATTRAPER UNE MANGOUSTE

BY MARIE BYRNE

TO CATCH A MONGOOSE

BY BARBARA RITCHIE

ILLUSTRATED BY EARL THOLLANDER

PARNASSUS PRESS · BERKELEY, CALIFORNIA

LIBRARY OF CONGRESS CATALOG CARD NUMBER 63-18902
PUBLISHED BY PARNASSUS PRESS
LITHOGRAPHED IN THE U.S.A. BY KAISER GRAPHIC ARTS

Mama said to papa, "Just at dawn this morning, I thought I heard my chickens flapping and cackling in fear."

Her words floated back to Henri in the soft, starlit night as the family walked the hilly coast trail. They were returning to their small farm from a day at the market in Fort-de-France, on the island of Martinique.

"I heard nothing," said papa, who walked ahead with mama.

"Then it was a dream, a bad omen; something threatens my chickens!"

Maman dit à papa, «Au petit jour ce matin, j'ai cru entendre mes poules battre des ailes et glousser comme si elles avaient peur.»

Ses paroles flottèrent dans la douce nuit étoilée jusqu'à Henri. La famille ivait la piste montagneuse de la côte en revenant à sa petite ferme après une journée passée au marché de Fort-de-France dans l'île de la Martinique.

«Je n'ai rien entendu», dit papa qui marchait en tête avec maman.

«Alors c'était un rêve, un mauvais présage. Quelque chose menace mes poulets!»

Henri's sister, Josephine, coming along behind Henri, cried, "I know what the dream means, mama! It means there's a slippery, slidey snake after your chickens!"

"Henri," papa called, "if anything is trying to get into the chicken house at dawn, it is certainly a mongoose. Make sure, tonight, that there is no crack for a mongoose to enter."

Henri stopped on the path. An idea came to him as he stood there, his gaze taking in the full sweep of the wide, flat Caribbean Sea shimmering under the stars, its white surf breaking aslant the black beach sands below the bluff. The musical whistling of thousands of tiny tree frogs in the cocoanut palms that crowded the trail became more shrill, as though they, too, approved the idea . . .

"I'll get rich!" Henri exclaimed.

"How?" Josephine had bumped right into him on the trail.

La soeur d'Henri, Joséphine, suivant par derrière, s'écria, «Je sais ce que veut dire ton rêve, maman! Cela veut dire qu'il y a un méchant serpent après tes poules!»

Papa appela Henri, «Si quelque chose essaie d'entrer dans le poulailler au point du jour, c'est certainement une mangouste. Ce soir veille à ce qu'il n'y ait pas la moindre fente par où une mangouste puisse se glisser.»

Henri s'arrêta net. Une idée lui était venue comme il se tenait là, embrassant du regard la vaste étendue de la mer des Caraïbes, toute plate, qui scintillait sous les étoiles et dont l'écume blanche se brisait sur le sable noir de la plage au bas de la falaise. Le sifflement musical de milliers de petites rainettes dans les cocotiers qui envahissaient la piste se faisait plus aigu, comme si elles aussi approuvaient . . .

«Je deviendrai riche!», s'exclama Henri.

«Et comment donc?» Joséphine venait de buter contre lui dans le sentier.

"I'll catch that mongoose and sell him to the mongoose man, that's how!"

His sister's squeal split the soft night. "Oh, no, Henri!" Soon she would be wailing, which would cause papa to stop and give his lecture about a boy not teasing his sister; and would cause mama to warn, again, that zombies come in the night to carry off quarreling children.

"Keep your voice down!"

"But—but—" Josephine stammered, crowding close to Henri so that only he could hear, "that wicked man will put the mongoose into a pit with a snake and make them fight and the mongoose will be killed!"

"Josephine, the man would not let the mongoose fight a snake big enough to kill it. He would keep the mongoose to fight again in other shows. That is only good business."

«J'attraperai cette mangouste et je la vendrai à l'homme aux mangoustes, voilà ce que je ferai!»

Le cri perçant de sa soeur déchira la douce nuit. «Oh, non, Henri!» Bientôt elle se mettrait à gémir, papa s'arrêterait pour lui faire la leçon—un garçon ne doit pas taquiner sa soeur, et maman, de nouveau, les avertirait que les zombies viennent la nuit enlever les enfants qui se disputent.

«Ne parle pas si haut!»

«Mais . . . Mais . . .», bégaya Joséphine, se serrant tout prè l'Henri afin que lui seul entendît, «Ce méchant homme mettra la mangouste dans une fosse avec un serpent, et les forcera à se battre, et la mangouste sera tuée.»

«Joséphine, il ne laissera pas la mangouste se battre avec un serpent assez gros pour la tuer. Il la gardera pour de nouveaux combats. C'est comme ça que se font les affaires.»

Henri's sensible remarks quieted his sister for the moment. His mind was free again to think of the riches he would have . . .

He began to feel so wealthy, he thought about spending a large sum on a doll for his sister. He would buy her one of the famous Martinique dolls that were dressed like French ladies of Colonial times. They wore fringed shawls criss-crossed over white blouses and tucked under the waistbands of full skirts that were raised to show fine white petticoats. Their tiny hats were trimmed with bows and they wore clumps of gold jewelry, like real ladies. Henri thought that he might even buy his sister a doll dressed in the court

Les remarques sensées d'Henri calmèrent sa soeur pour l'instant. Son esprit était de nouveau libre pour rêver à ses futures richesses . . .

Il se sentait déjà si riche qu'il songeait à dépenser beaucoup d'argent pour donner une poupée à sa soeur. Il lui achèterait une de ces fameuses poupées m[illegible]ises, habillées comme les dames de France des temps coloniaux. Elles portaient des châles à franges, croisés sur des corsages blancs, rentrés sous les ceintures de jupes amples qui étaient relevées d'un côté pour montrer de fins jupons blancs. Leurs petits chapeaux s'ornaient de noeuds et elles portaient de gros bijoux en or comme de vraies dames. Henri pensa qu'il pourrait peut-être même lui acheter une poupée vêtue des habits de cour de l'Impéra-

robes of the Empress Josephine. His sister was so proud of having the Queen's name, she sometimes imagined that she was just like the beautiful Martinique girl who sailed away to France, so long ago, and married the Emperor Napoleon.

The family had now turned off the trail and was following a path away from the sea to a small house under the palms. Henri, feeling rich and generous, said, "When I sell my mongoose, Josephine, I will buy—"

"What mongoose?" Josephine tossed her head, flinging her thick braids back over her shoulders. Stars winked from the swinging gold loops in her ears. "You haven't caught a mongoose yet, brother dear! And I doubt that you ever will!"

She strode off—head high, small back straight, skirt swaying in rhythm with her long, light steps. She thought she was *l'Impératrice Joséphine* again!

trice Joséphine. Sa soeur était si fière de porter ce nom qu'elle paraissait parfois s'imaginer qu'elle ressemblait à la belle Martiniquaise qui vogua vers la France, il y a si longtemps, et épousa l'Empereur Napoléon.

La famille maintenant avait quitté la piste pour suivre un chemin qui s'éloignait de la mer, allant vers une petite maison sous les palmiers.

Henri, se sentant riche et généreux, dit, «Quand j'aurai vendu ma mangouste, Joséphine, je t'achèterai . . .»

«Quelle mangouste?» Joséphine secoua la tête, rejetant ses nattes épaisses sur ses épaules. Des étoiles s'allumaient aux anneaux d'or de ses oreilles. «Tu ne l'as pas encore attrapée, frère chéri! Tu n'y arriveras jamais!»

Elle s'en alla, tête haute, son petit dos tout droit, balançant sa jupe au rythme de ses longs pas légers. Elle se croyait encore une fois l'Impératrice Joséphine!

He would not buy her a doll dressed like a queen. He would not buy her any doll. Instead, he would keep every cent of his money for himself, like a miser. And later, when he was very rich from the sale of many mongooses, he would have a stall under the huge roof of the market at Fort-de-France, and over his stall would be a sign reading: FIGHTING MONGOOSES FOR SALE

Il ne lui achèterait pas la poupée habillée comme une reine. Il ne lui achèterait aucune poupée. Au contraire, il garderait tous ses sous pour lui, comme un avare. Et, plus tard, lorsqu'il serait devenu très riche par la vente de beaucoup de mangoustes, il aurait une échoppe sous le marché au grand de Fort-de-France, et au-dessus il y aurait une enseigne avec:

MANGOUSTES DE COMBAT À VENDRE

The next morning, Henri's father said he need not go to work in the sugar cane field. He could stay at home to make a trap to catch a mongoose.

"What kind of a trap?" Josephine asked. "Will it hurt him?"

"Of course not. A hurt mongoose would not bring a good price," said Henri. "I have an idea for a trap . . . "

He looked doubtfully at his mother. She and Josephine were ready to do the washing in a nearby stream that tumbled out of the hills into the sea. The laundry was heaped in baskets; a large basket for mama, a smaller one for Josephine. Mama lifted her basket to rest it on the bandana that she always wore tied around her head.

"I—I must have an egg, mama," Henri said hastily, "to bait my trap."

Le lendemain matin son père dit qu'Henri n'avait pas à travailler dans les champs de canne à sucre. Il pourrait rester à la maison à fabriquer un piège pour attraper sa mangouste.

«Quelle sorte de piège?», demanda Joséphine. «Un piège qui lui fera mal?»

«Bien sûr que non! Une mangouste blessée ne vaudrait pas cher», dit Henri. «J'ai une idée pour un piège . . .»

Il regarda sa mère avec inquiétude. Elle et Joséphine s'apprêtaient à laver le linge au ruisseau voisin qui tombait en cascades des collines jusqu'à la mer. La lessive était entassée dans deux paniers — un grand pour maman, un plus petit pour Joséphine. Maman souleva son panier pour le poser sur le foulard bariolé qu'elle portait toujours noué sur la tête.

«Il . . . il me faudrait un oeuf, maman», se hâta de dire Henri, «pour amorcer mon piège.»

Mama frowned. She liked to have a few eggs to sell, along with the brooms she made, when the family went to market. Then she smiled. "One egg, yes, if you can catch a mongoose with it."

"Merci beaucoup, mama."

Maman fronça les sourcils. Elle aimait avoir quelques oeufs à vendre, avec les balais qu'elle fabriquait, quand la famille allait au marché. Puis elle sourit. «Entendu, un oeuf, un seul, si tu réussis à attraper la mangouste.»

«Merci beaucoup, maman.»

Henri wove six squares out of palm thatch. Five of them he lashed together to make a box. The sixth square he laced to the box on one side of the opening, lacing it loosely so that the top could be opened and shut as if on hinges. He braided a long rope and tied it to the side of the cover opposite the hinges.

Before sundown, Henri took the trap outside. It must be placed close enough to the chicken house so that the mongoose, a curious

Henri tissa six carrés de feuilles de palmier. Il joignit cinq de ces carrés pour former une boîte. Il laça le sixième à la boîte d'un côté de l'ouverture seulement, pas trop serré, afin que le couvercle s'ouvre et se ferme comme sur charnières. Il tressa une longue corde et la noua sur le côté du couvercle opposé à la charnière.

Avant le coucher du soleil Henri porta le piège dehors. Il fallait le placer assez près du poulailler pour que la mangouste, de nature curieuse, le voie

animal, would see it and investigate. The thatched chicken house was made of driftwood planks gathered from the seashore.

Between the house and the chicken coop was a tall fern tree. At the edge of the shade cast by its drooping, feathery fronds, Henri set down the trap. He opened the cover so that it lay flat on the ground to form a porch in front of the trap. He climbed the tree and looped the loose end of the rope over a low branch.

et vienne l'examiner. Le poulailler au toit de chaume était bâti de planches ramassées sur la plage.

Entre la maison et le poulailler se trouvait une énorme fougère arborescente. Henri déposa le piège au bord de l'ombre projetée par les frondes qui retombaient, légères comme des plumes. Il ouvrit le couvercle de façon à ce qu'il se tînt à plat par terre pour former un porche devant le piège. Il grimpa sur l'arbre et attacha le bout de la corde à une branche basse.

Tomorrow morning the mongoose would have to cross the porch to get the egg inside the trap. As soon as the animal entered, Henri—well hidden behind the curtain of fern leaves—would jerk the rope. The porch would fly up, closing the opening, and *voilà!*—he would have a mongoose.

Henri crouched in the tree a moment longer, thinking of the many mongooses he would catch in his trap. The thousands of tree frogs whistled their songs. Flowering frangipani trees perfumed the air. A stray breeze brought in the heavier, sweeter odor of new-made rum from the sugar mill in the hills, and caused the fern tree to sway its fronds, like a lady lazily fanning herself. Henri thought hard about the business of selling his mongooses. His stall sign must be of a kind to attract many buyers. He decided, finally, that it should read:

FEROCIOUS FIGHTING MONGOOSES FOR SALE

Demain matin la mangouste aurait à traverser le porche pour atteindre l'oeuf placé à l'intérieur du piège. Dès que la bête entrerait, Henri, bien caché derrière le rideau de feuilles de la fougère, tirerait la corde brusquement, le porche se relèverait, fermant l'ouverture, et voilà, il aurait sa mangouste.

Henri s'accroupit dans l'arbre encore un moment, pensant à toutes les mangoustes qu'il prendrait dans son piège. Des milliers de rainettes sifflaient leurs chansons. Les frangipaniers en fleurs parfumaient la nuit. Une brise vagabonde apportait de la raffinerie de la colline l'odeur plus accablante et plus douce du rhum nouveau et agitait les frondes de la fougère, comme une dame qui s'évente avec nonchalance. Henri refléchissait sérieusement à la vente de ses mangoustes. L'enseigne de son échoppe devrait attirer beaucoup d'acheteurs. Il se décida enfin pour:

À VENDRE - FÉROCES MANGOUSTES DE COMBAT

Henri was back waiting on his perch in the fern tree before dawn the next day. His bones began to ache from crouching so long without moving. His eyes watered from staring so intently, scarcely breathing. Gradually the sky lightened with the coming of dawn. And then—was that a flicker of movement among the long grasses in the clearing near the chicken house? They waved faintly; as if someone blew softly on them, or as if a snake slithered through—or a mongoose. Suddenly the mongoose stood on its hind legs. Its bright, beady eyes took in everything. Its pointed

Le lendemain, avant l'aube, Henri attendait de nouveau sur son perchoir dans la fougère. Ses os commençaient à lui faire mal d'être resté si longtemps accroupi sans bouger. Ses yeux larmoyaient de regarder si attentivement. Il respirait à peine. Le ciel s'éclaircissait petit à petit à l'approche du jour. Et alors... était-ce un petit tremblement dans les longues herbes de la clairière près du poulailler? Elles se ridaient faiblement, comme si l'on soufflait doucement sur elles, ou comme si un serpent s'y glissait . . . ou une mangouste. Tout à coup la mangouste se dressa sur ses pattes de derrière. Ses petits yeux luisants

black nose twitched. Then, as abruptly as it had stood, it dropped out of sight. Only the rippling grass told that a mongoose was coming.

Twice the animal stood to dart its quick glances and sniff the air for a scent of danger. Each time, it dropped down and came closer. At last a long, gray-brown shadow slipped across the trap porch.

Henri jerked the rope, held it taut as he leapt from the tree. Swiftly he wrapped the rope around the closed trap and ran toward

et ronds observèrent tout. Son nez noir et pointu frémit. Puis, aussi brusquement qu'elle s'était montrée, elle disparut . . . Seule l'herbe ondulante indiquait l'arrivée de la mangouste.

Par deux fois l'animal se souleva pour darder son regard vif et humer l'air pour flairer le danger. Chaque fois, il retomba et se rapprocha. Enfin une longue ombre d'un gris-brun se coula sur le porche du piège.

Henri tira la corde d'un coup sec, la tint raide tout en sautant de l'arbre. Rapidement il enroula la corde autour du piège fermé et courut vers la maison.

the house. "Mama, papa, Josephine! I have caught a mongoose!"

Inside, with the kitchen door securely closed, they crowded around Henri and his trap.

Papa said, "I hear nothing. That is strange; an excited mongoose chatters 'Tu-tu-tu.' "

"He is too scared to cry, poor thing," Josephine whispered in a quavery voice.

"He is too busy," mama said, "eating my egg."

Henri lifted the cover a sliver to look in at his prize. There was nothing inside the trap but an egg with a crack in it.

"But—but I saw him go in, papa!"

"Ah, but the nimble mongoose can move with the speed of a flying arrow and so you did not see it leave."

"Perhaps you have frightened it away for good, Henri. So eat

«Maman, papa, Joséphine! J'ai attrapé une mangouste!»

Dans la maison, la porte de la cuisine bien close, ils se pressèrent autour d'Henri et de son piège.

Papa dit, «Je n'entends rien. C'est curieux — une mangouste excitée fait 'Tu-tu-tu'.»

«Elle a trop peur pour crier, la pauvre», murmura Joséphine d'une voix tremblante.

«Elle est trop occupée», dit maman, «à manger mon oeuf.»

Henri souleva un brin le couvercle pour regarder sa proie. Il n'y avait dans le piège qu'un oeuf légèrement fendu.

«Pourtant... je l'ai vue entrer, papa!»

«Ah, mais la mangouste est si agile qu'elle peut se mouvoir avec la rapidité d'une flèche dans l'air, et tu ne l'auras pas vue partir.»

«Tu l'as peut-être effrayée pour de bon, Henri. Mange donc ton oeuf, si

the egg, if you like, for I cannot sell a cracked egg."

"Thank you, mama. But I will keep the egg, to catch the mongoose . . . tomorrow."

"You may find it very hard, Henri, to catch a mongoose unless it wants to be caught," papa said.

As Henri worked sleepily in the field that day, stripping the coarse outer leaves from the cut sugar cane and tying the stalks into bundles, he thought about what his mother had said. Was it possible that the mongoose had been frightened away for good?

What his father had said puzzled him, too. Was it true that to catch a mongoose, you had to find one that wanted to be caught? But nowhere on the Island of Martinique was there a mongoose so foolish as to want to be caught!

When Henri got up the next morning, he heard a whisper in

tu veux, car je ne peux vendre un oeuf cassé.»

«Merci, maman. Je garderai l'oeuf, pour attraper la mangouste . . . demain.»

«Tu trouveras peut-être très difficile, Henri, d'attraper une mangouste si elle ne veut pas se laisser prendre», dit papa.

Tandis qu'Henri, à demi-endormi, travaillait aux champs ce jour-là, dépouillant la canne à sucre coupée de ses grosses feuilles extérieures et liant les tiges en bottes, il pensait à ce qu'avait dit sa mère. Était-il possible qu'il eût effrayé la mangouste pour de bon?

Ce que son père avait dit le rendait perplexe aussi. Était-il vrai que pour attraper une mangouste il fallût en trouver une qui voulût bien se laisser prendre? Mais nulle part dans toute l'île de la Martinique il n'y avait une mangouste aussi folle . . .

Quand Henri se leva le lendemain matin, il entendit un chuchotement

the dark. "I'm coming too!"

There was no time to argue with his sister; it would soon be light. "All right. But be quiet. Especially, keep your mouth shut!"

Henri had a new scheme; a scheme for making a mongoose want to be caught . . .

Once again the trap under the fern tree had been baited with an egg, but this time Henri did not climb the tree. He led Josephine a little way off. "We will sit here."

dans le noir. «Je viens aussi!»

Il n'avait pas le temps de discuter avec sa soeur, car bientôt il ferait jour. «Bon. Mais tiens-toi tranquille. Et, surtout, tais-toi!»

Henri avait un nouveau plan — un plan pour qu'une mangouste veuille bien se laisser prendre . . .

Le piège placé sous la fougère avait été amorcé de nouveau avec un oeuf, mais cette fois-ci Henri ne grimpa pas dans l'arbre. Il en éloigna un peu Joséphine. «Asseyons-nous ici.»

"But from here we can't jerk the porch up and close the trap."

"We're not going to. We are going to let the mongoose eat his egg in peace. Now be quiet."

Josephine held her hand over her mouth. They waited . . . and there, suddenly, was the mongoose. They watched the halting, suspicious approach of the animal; watched it enter the trap at such speed that it seemed to flow across the porch. They waited the little while it took the mongoose to eat the egg and lick the shells clean

«Mais d'ici nous ne pourrons pas relever le porche et fermer le piège.»

«Nous ne le fermerons pas. Nous laisserons la mangouste manger son oeuf en paix. Maintenant, silence.»

Joséphine se mit la main sur la bouche. Ils attendirent . . . et voilà, tout à coup, la mangouste. Ils guettèrent son arrivée hésitante et soupçonneuse, la virent entrer dans le piège à une telle allure qu'elle avait l'air de se couler à travers le porche. Ils attendirent le peu de temps qu'il lui fallait pour manger l'oeuf et lécher la coquille proprement, et puis observèrent le ruban ondulant

and then watched the wavy ribbon of its swift departure.

Josephine, her hand still clamped over her mouth, questioned Henri with her eyes.

Henri explained, "Tomorrow we will put another egg in the trap and move it a little closer to our house. The next day, another egg, and the next day another. We will sit close by each day. Perhaps we'll even talk softly so he will learn not to be afraid of us. And one day we'll put the trap inside the house and he will go in for the egg and *voilà*—we'll catch a mongoose that wants to be caught!"

Josephine took her hand from her mouth and said, "I hope that mama can spare all those eggs."

"But I'm in the mongoose business. When I sell the mongoose,

de son départ rapide.

Joséphine, la main toujours sur sa bouche, interrogea Henri du regard.

Henri expliqua. «Demain nous mettrons un autre oeuf dans le piège que nous approcherons un peu plus de la maison. Après demain, un autre oeuf, et puis le lendemain, un autre . . . Nous nous assiérons à côté chaque jour. Peut-être même parlerons nous à voix basse pour qu'elle apprenne à ne pas nous craindre. Et puis un jour nous mettrons le piège dans la maison, elle y entrera pour chercher son oeuf, et voilà, nous attraperons une mangouste qui veut se laisser prendre!»

Joséphine ôta la main de sa bouche pour dire, «J'espère que maman pourra nous prêter tous ces oeufs.»

«Mais je suis dans le commerce des mangoustes. Lorsque je vendrai la

I'll pay mama for the eggs. That is the way business is done."

Mama was not pleased to go into the egg-loaning business. "Be sure to keep careful count of all the eggs you use and of the sum you owe."

Papa said that getting up early was making Henri a sleepy field worker and that things could not go on this way much longer. This made mama worry that Josephine would be too sleepy to be of much help in making brooms to sell.

"I don't feel sleepy, papa," Henri said, holding back a yawn.

"Look at me!" Josephine cried, fluttering her long eyelashes. "I'm wide awake!"

mangouste, je rembourserai maman de tous les oeufs. C'est comme cela qu'on fait des affaires.»

Maman n'était pas très contente de se mettre à vendre des oeufs à crédit. «Sois sûr de bien faire le compte de tous les oeufs que tu prends et de la somme que tu me dois.»

Papa dit que de se lever si matin faisait qu'Henri s'endormait sur son travail aux champs, que cela ne pourrait pas durer. Et maman s'inquiéta que Joséphine n'ait trop sommeil pour l'aider à fabriquer les balais pour le marché.

«Je n'ai pas sommeil, papa», dit Henri, en retenant un bâillement.

«Regardez-moi!», s'écria Joséphine, battant ses longs cils. «Je suis bien éveillée!»

Five eggs later, Henri placed the trap just inside the kitchen door, an egg inside the trap, Josephine behind the trap with the rope in her hand, and himself behind the open door. "As soon as the mongoose comes in, I'll close the door. When he runs into the trap, pull up the porch and we'll have him," Henri whispered. "But, Josephine, be quiet and speak softly. If mama and papa wake up and come in here, they will scare him away."

Henri could see very little through the crack made by the open door. But soon he heard Josephine crooning very softly, "Come, little Tu-tu. Come get your lovely egg." This was a song that the mongoose was used to by now.

Seconds later the mongoose streaked noiselessly across the door sill. "He's here!" Josephine sang out. Swiftly Henri pushed the door shut; then his flesh turned cold. Josephine had not pulled

Cinq oeufs plus tard, Henri plaça le piège avec son oeuf sur le seuil de la cuisine. Joséphine se tenait derrière le piège, la corde à la main, et lui-même derrière la porte ouverte. «Dès que la mangouste entrera, je fermerai la porte. Quand elle courra dans le piège, relève le porche et nous l'aurons!», souffla Henri. «Mais, Joséphine, tiens-toi tranquille et parle doucement. Si maman et papa s'éveillent et viennent ici, elle s'effrayera.»

Henri ne voyait pas grand'chose par la porte entr'ouverte. Mais bientôt il entendit Joséphine chantonner très doucement, «Viens, petite Tu-tu. Viens chercher ton bel oeuf.» C'était un refrain que la mangouste connaissait bien maintenant.

Quelques secondes plus tard la mangouste, se glissant sans bruit, rapide comme un éclair, franchit le seuil de la porte. «La voilà!», cria Joséphine. Vite, Henri ferma la porte, et puis il eut la chair de poule. Joséphine n'avait

the porch up. He wanted to yell but he dared only whisper, "Close the trap! He'll run away!"

"No he won't. He knows us now and he likes us," Josephine whispered back, bending around to watch the mongoose eating his morning egg.

"But we can't let him run loose in the house, he'll escape." Henri worked carefully at the knot in the rope. "Maybe we can get a leash on him. Hurry, bring another egg, Josephine, and put it beside me here . . . "

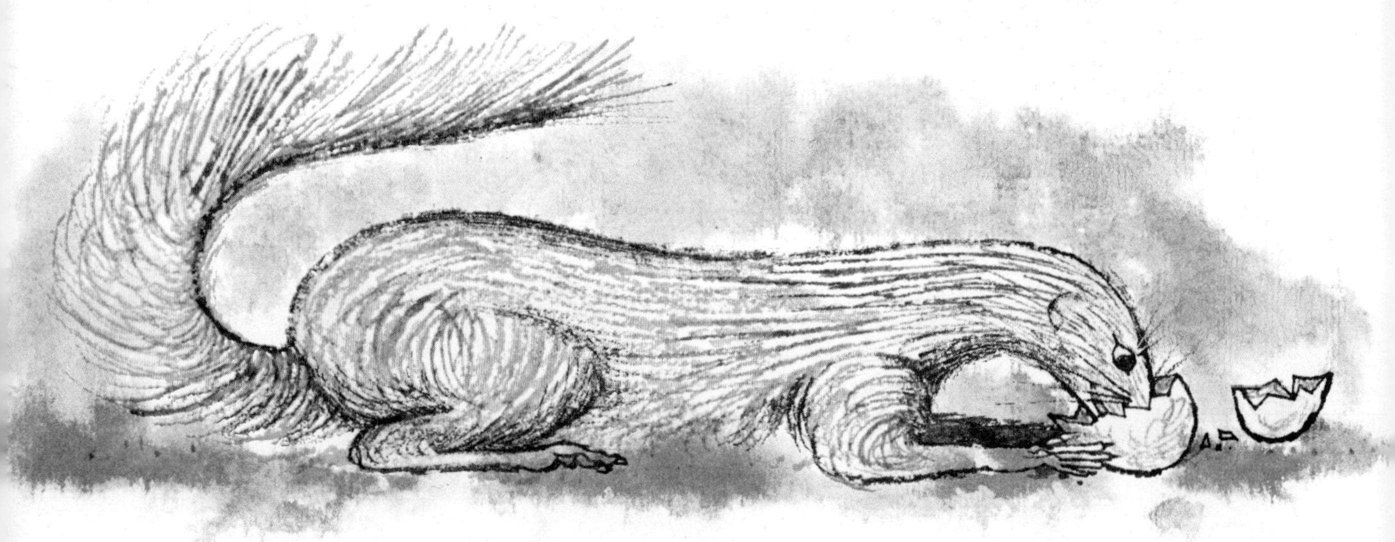

pas relevé le porche. Il voulut hurler mais osa seulement murmurer, «Ferme le piège! Elle va s'échapper!»

«Non, elle ne s'en ira pas. Elle nous connaît maintenant et elle nous aime», chuchota Joséphine, se penchant en arrière pour regarder la mangouste manger son oeuf matinal.

«Mais nous ne pouvons pas la laisser courir librement dans la maison, elle va se sauver.» Henri défit avec soin le noeud de la corde. «Nous pourrons peut-être lui mettre une laisse. Vite, apporte un autre oeuf, Joséphine, et mets-le ici près de moi . . .»

Le plan réussit. Quand la mangouste vint chercher son deuxième oeuf,

When the mongoose came out for the second egg, Henri slipped a noose around its neck, tightening it just enough so that the animal could not pull its narrow head back through the loop.

After the mongoose had licked the broken shell clean, it started chattering and scampering back and forth. Josephine laughed. "See how excited he is. All his fur is fluffing up, even his tail. He wants another egg, get him another egg, Henri!"

"He will get no more eggs," Henri said. "Let's take him down to the beach and let him catch some lizards and crabs. It will be your job, Josephine, to take him out hunting for food while I work in the field."

"And I'll catch lots of spiders and bugs, to feed him if he gets hungry while I'm helping mama with the brooms."

Henri and Josephine hurried to the beach. The mongoose followed a zig-zagging course of its own as it darted from side to side

Henri lui faufila un noeud coulant autour du cou, le serrant juste assez pour que la bête ne puisse pas en dégager sa tête étroite.

Lorsque la mangouste eut fini de lécher la coquille brisée, elle se mit à jacasser et à courir de ci, de là. Joséphine riait. «Vois comme elle s'excite. Tout son poil se hérisse, même sa queue. Elle veut un autre oeuf, va lui chercher un autre oeuf, Henri!»

«Elle n'aura plus d'oeufs», dit Henri. «Menons-la à la plage, et laissons-la attraper des lézards et des crabes. Ce sera ton travail, Joséphine, de lui faire chasser sa nourriture pendant que je serai aux champs.»

«Et j'attraperai beaucoup d'araignées et d'insectes pour lui donner à manger si elle a faim pendant que j'aide maman à faire les balais.»

Henri et Joséphine se hâtèrent vers la plage. La mangouste suivait une piste irrégulière, en zig-zag, tantôt s'élançant rapidement d'un côté à l'autre,

or leapt into the air to snare a flying insect. Sometimes, straining the rope, it looped about, landed on all fours, and looked around curiously.

"He could easily cut that leash in two with his sharp teeth," Henri said.

"But he doesn't want to. He wants to stay with us."

It seemed that Josephine was right. Tu-tu's fur now lay flat and sleek on his long body and tail; he was neither excited nor fearful nor angry. But Henri knew that if Tu-tu were to meet his ancient enemy, the snake, his fur would rise instantly to form a thick mat of protection against poisonous fangs. The sight of a snake made a slashing fighter of a mongoose.

Dreaming of the riches to be made from the sale of fighting mongooses, Henri decided that he needed an even finer sign over his stall.

tantôt bondissant en l'air pour happer un insecte volant. Quelquefois, tirant sur la corde, elle virait, retombait sur ses quatre pattes, et regardait curieusement autour d'elle.

«Elle pourrait facilement couper cette laisse en deux avec ses dents pointues», dit Henri.

«Mais elle ne veut pas. Elle veut rester avec nous.»

Joséphine semblait avoir raison. Le poil de Tu-tu restait plat et lisse maintenant sur son corps allongé et sa queue. Elle n'était ni excitée, ni craintive, ni en colère. Mais Henri savait que si Tu-tu rencontrait son ancien ennemi, le serpent, son poil se hérisserait instantanément pour former une épaisse couche protectrice contre les crocs venimeux. La vue d'un serpent faisait de la mangouste une véritable furie.

FIERCE FEROCIOUS FIGHTING MONGOOSES FOR SALE

During the days that followed, Josephine took good care of the mongoose. On Sunday, the day before the animal was to be sold, she disappeared early in the afternoon and kept Tu-tu out hunting until almost evening. When she returned, carrying him in her arms, he nuzzled her braids, poked his pointed nose behind her ear and knocked off her big straw hat. "He tickles," she giggled.

Rêvant aux richesses que lui apporterait la vente de ses mangoustes de combat, Henri jugea qu'il aurait besoin d'une enseigne encore plus belle à mettre au-dessus de son échoppe:

À VENDRE - MANGOUSTES DE COMBAT SAUVAGES

Pendant les journées qui suivirent Joséphine soigna bien la mangouste. Le dimanche, la veille du jour fixé pour la vente de la bête, Joséphine disparut tôt dans l'après-midi et garda Tu-tu dehors à chasser presque jusqu'au soir. Quand Joséphine rentra, la portant dans ses bras, Tu-tu, la tête enfouie dans ses tresses, lui fourra son museau pointu derrière l'oreille et fit tomber son grand chapeau de paille. «Elle me chatouille», dit Joséphine en riant.

Henri said with satisfaction: "He's smart and quick. But the main thing is he is healthy and strong. He'll win all his fights. The mongoose man will pay a lot for this fellow."

Josephine took a deep breath and said, in a rush of words, "Oh, don't sell little Tu-tu, Henri, but leave him for papa to take to the field. If there's a snake, the mongoose will kill it so the snake won't stab papa with its poison fangs."

His sister must be crazy! "Papa would not take a mongoose to the field. He burns off the cane in the last corner, instead of cutting it, if he thinks any snakes have run there to hide. You know that, Josephine."

"Oh, don't sell Tu-tu! He is our pet now, don't sell him."

"And who will pay mama for all the eggs he has eaten?" Was it unshed tears that made Josephine's eyes glisten? Henri turned away. "Business is business," he said. He would have to pay the

Henri répondit, satisfait, «Elle est intelligente et vive. Mais surtout elle est en bonne santé et robuste. Elle gagnera tous les combats. L'homme aux mangoustes m'en donnera un bon prix.»

Joséphine respira fortement et dit rapidement, «Oh, ne vends pas la petite Tu-tu, Henri, mais laisse papa l'emmener aux champs. S'il y a un serpent, la mangouste le tuera et le serpent ne mordra pas papa de ses crocs venimeux.»

Sa soeur était folle! «Papa n'emmènerait pas une mangouste aux champs. Il brûle la canne dans le dernier coin du champ au lieu de la couper s'il croit que des serpents ont couru s'y cacher. Ça, tu le sais, Joséphine.»

«Oh, ne vends pas Tu-tu. C'est notre amie maintenant, ne la vends pas.»

«Et qui remboursera maman de tous les oeufs qu'elle a mangés?»

Étaient-ce des larmes refoulées qui faisaient briller les yeux de Joséphine? Henri se détourna. «Les affaires sont les affaires», dit-il. Il aurait à payer

egg bill; and he would most certainly have to buy that doll for his sister, to help her forget the loss of the mongoose. He said, sharply, "Don't take Tu-tu out and set him free, Josephine, just so that the mongoose man will not get him. Have no ideas like that!"

Her large, dark eyes, now very bright with tears, looked straight into his. "I thought of it, Henri. But it would do no good. You see, he would come right back, because he likes it here."

She walked away, head high, skirt swaying with each step. The lazy, well-fed mongoose lay as limp as a fur scarf across her shoulders.

Henri followed slowly. How glad he was that at this time tomorrow the sale of the mongoose would be over and he would be a business man, his pockets stuffed with money.

la note des oeufs, et il lui faudrait certainement acheter cette poupée pour sa soeur afin de la consoler de la perte de sa mangouste. Il dit brusquement, «Et ne vas pas lâcher Tu-tu, même si tu ne veux pas que l'homme aux mangoustes l'achète. Ne te fais pas des idées de ce genre!»

Elle fixa ses grands yeux sombres qui luisaient maintenant de larmes sur ceux d'Henri. «J'y ai bien pensé, Henri. Mais cela ne servirait à rien. Vois-tu, elle reviendrait tout de suite car elle se plaît ici.»

Elle s'éloigna, la tête haute, balançant sa jupe au rythme de ses pas, la mangouste, paresseuse et bien nourrie, couchée, souple comme une fourrure, sur ses épaules.

Henri suivait lentement. Il se réjouissait de penser que demain à cette heure-ci il aurait déjà vendu la mangouste et qu'il serait un homme d'affaires, les poches bourrées d'argent.

Henri hurried ahead of Josephine and Tu-tu the next day as he searched the marketplace for the mongoose man. The narrow aisles of the huge roofed market were packed with people who moved too slowly to suit Henri. Some did not move at all but stood shaking hands and shouting greetings into the hubbub of other shouted greetings and the crowing of roosters. He twisted and turned, squeezing past counters of breadfruit and yams and heaped displays of melons, tomatoes, pineapples. He inched his way around tall towers of straw hats.

At last, as he edged sideways past long tables holding pails of

Le lendemain Henri devança Joséphine et Tu-tu, cherchant, dans le marché couvert, l'homme aux mangoustes. Les passages étroits du marché étaient encombrés de gens qui circulaient trop lentement à son gré. Certains d'entre eux ne bougeaient pas du tout et restaient là, se serrant la main et se criant des bonjours dans le brouhaha d'autres bonjours et du chant des coqs. Henri se frayait lentement un chemin, s'écrasant le long des tréteaux de fruits à pain et de patates et des étalages en pyramides de melons, de tomates et d'ananas. Il contournait de hauts édifices de chapeaux de paille.

Enfin, comme il côtoyait les grandes tables chargées de seaux pleins de

SAVON DANGE
LAVANDE

tawny-red lilies, he caught sight of a man who was as wide as he was high and so rounded in front that he looked like the square sail of a native Martinique boat bellied full of wind. That was the mongoose man.

Henri hurried up to him. "My sister is coming . . . " Henri looked back and pointed her out in the crowd. "And see, she carries the mongoose I trapped and will sell to you . . . for a price."

The fat man moved only his eyes, searching out the mongoose. For a long while he said nothing. Then he hitched his trousers over his mound of a stomach and from his cavernous chest came the words, "How much?"

The bargaining was beginning. Henri, too, hitched his trousers. "What do you offer?"

Another long silence. The two of them seemed caught in a great bubble of silence. But there was much talk and laughter

lis rouges, il aperçut un homme aussi large que haut et si arrondi par devant qu'il ressemblait à la voile carrée d'un bateau martiniquais gonflée par le vent. C'était l'homme aux mangoustes.

Henri se hâta vers lui. «Ma soeur arrive . . .» Henri regarda derrière lui et la montra du doigt dans la foule. «Regardez, elle porte la mangouste que j'ai attrapée au piège, et je vous la vendrai, à bon prix.»

Le gros homme tourna seulement les yeux, cherchant la mangouste. Pendant un long moment il ne dit rien. Puis il tira son pantalon sur sa bedaine et du fond de sa poitrine caverneuse sortit le mot «Combien?»

Le marchandage commençait. Henri, lui aussi, remonta son pantalon. «Combien offrez-vous?»

Un autre long silence. Tous les deux semblaient figés dans une grosse bulle de silence. Mais il y avait bavardages et rires autour de Joséphine. Henri

around Josephine. Henri heard his sister's delighted giggle and her exclamation, "He's after bugs that he thinks I have hidden, and he tickles!"

Henri cleared his throat. He said, in a firm, business-like way, "The animal is in good health. He has had an egg a day, and one day he had two."

Just then a young girl's voice rose above the babble around Josephine. "Oh, do give me a bug, please, for me to hide and him to find."

Henri glanced back. Josephine held Tu-tu under one arm; his long tail swished back and forth near a table of cocoa, nutmeg, and cinnamon. A laughing, golden-haired girl bent toward Tu-tu, who fixed his bright gaze on her and twitched his small black nose.

It was not good business for Josephine to waste time this way when there was a buyer waiting. "Josephine, please bring the

entendit le fou-rire de sa soeur qui s'exclamait, «Tu-tu cherche des insectes qu'elle croit que j'ai cachés, et elle me chatouille.»

Henri se râcla la gorge. Il dit d'un ton ferme et avisé, «L'animal est en bonne santé. Il a mangé un oeuf par jour, et une fois il en a même eu deux.»

Juste à ce moment la voix d'une petite fille s'éleva au-dessus du caquetage entourant Joséphine. «Oh, donnez-moi un insecte à cacher, s'il vous plaît, pour qu'elle le trouve!»

Henri se retourna. Joséphine tenait sous le bras Tu-tu, dont la longue queue fendait l'air de droite à gauche, près d'une table chargée de cacao, de muscade et de cannelle. Une fillette rieuse, aux cheveux dorés, se penchait sur Tu-tu qui la fixait de son regard brillant et plissait son petit nez noir.

Mais ce n'était pas bien de la part de Joséphine de gaspiller son temps ainsi quand il y avait un client qui attendait. «Joséphine, je t'en prie, apporte la bête

animal here so the gentleman can get a good look at him. For this fine mongoose, sir, I am asking . . . "

The man's voice rumbled. "Don't bother to set your price. I will pay you a little something, not much. It is a very young one you have there, and a tamed one. I will have to lock him up, starve him, to make him vicious enough to put up a decent fight."

Henri heard a gasp at his side. Josephine was there, clutching the mongoose. "Henri, he will starve Tu-tu! You can't sell Tu-tu

ici afin que le monsieur puisse bien l'examiner. Pour cette belle mangouste, monsieur, je demande . . .»

La voix de l'homme gronda, «Ne prends pas la peine de faire ton prix. Je te paierai un petit quelque chose, pas beaucoup. C'est une très jeune bête que tu as là, et, de plus, elle est apprivoisée. Il me faudra l'enfermer et l'affamer enfin de la rendre assez féroce pour se battre comme il faut.»

Henri entendit un sanglot près de lui. Joséphine était là, qui étreignait la mangouste. «Henri, il la fera mourir de faim. Tu ne peux pas vendre

to that man!"

"Josephine, I *must* sell him. That's my business, selling mongooses. Let me have him, now."

Josephine put Tu-tu down and thrust the leash into Henri's hand. She whirled around and glared at the mongoose man. "A starved mongoose would not be strong enough to fight a snake. He would get hurt, or killed. You should not starve Tu-tu!" she said angrily.

Tu-tu à cet homme.»

«Joséphine, *il faut* la vendre. C'est mon affaire — de vendre des mangoustes. Donne-la moi maintenant.»

Joséphine posa Tu-tu par terre et fourra la laisse dans la main d'Henri. Elle fit demi-tour, foudroyant du regard l'homme aux mangoustes. «Une mangouste affamée n'aura pas la force de combattre un serpent. Elle sera blessée ou tuée. Il ne faut pas affamer Tu-tu !», dit-elle, en colère.

Henri scowled. It was poor business to speak that way to a customer. Besides, nothing she could say would change the man's mind. It would take him but a few days to transform Tu-tu from a friendly little animal into a snake fighter, made so by terrible hunger.

Now the lively Tu-tu had scampered around Henri and circled his ankles with the leash, as if he meant to tie him up. Playful Tu-tu, who was used to having an egg a day, would suddenly be given nothing at all to eat . . .

Henri gulped. "No sale," he told the mongoose man, who merely shrugged.

Sick at heart, Henri bent down to loosen the rope from his ankles. Now where could he sell his mongoose, he wondered?

He straightened up to find a Frenchman standing there and beside him was his daughter, the laughing girl who had taken

Henri prit un air renfrogné. Cela faisait mauvais effet de parler ainsi à un client. Et puis, rien de ce qu'elle pourrait dire ne changerait la décision de cet homme. Il ne lui faudrait que quelques jours pour transformer Tu-tu, petite bête aimable, en une véritable tueuse de serpents, rendue telle par une faim dévorante.

Maintenant l'agile Tu-tu courait autour d'Henri, encerclant ses chevilles de la laisse comme si elle avait voulu se l'attacher. La Tu-tu enjouée, habituée à un oeuf par jour, tout à coup n'aurait plus rien du tout à manger . . .

Henri ravala sa salive. «Pas de vente», dit-il à l'homme aux mangoustes qui ne fit que hausser les épaules.

Triste à mourir, Henri se baissa pour desserrer la corde. Où pourrait-il vendre sa mangouste maintenant, se demandait-il.

Il se redressa et vit un Français que se tenait là, avec sa fille auprès de lui,

NO
SALE

such delight in Tu-tu. She was as pretty as Josephine but in a different way. She had Caribbean-blue eyes, long yellow hair, and a delicate pink face. A prettiness to cause staring! The man was saying that his daughter admired Tu-tu. Was the animal for sale?

Before Henri could get over his surprise, hitch his trousers, and start the bargaining, Josephine was at his side. She spoke rapidly in Creole, the West Indies dialect that people from France would not understand. "Tu-tu is a fine, expensive pet! Charge him much, Henri!"

Henri grinned broadly, but his mind was in a whirl. Was a pet mongoose worth more, or less, than a fighting mongoose?

"Hurry, papa, buy him for me!" the French girl demanded.

"*Patience, ma petite*. Can you not see that I am trying to do just that? Name your price, young man."

la fillette rieuse à qui Tu-tu avait tellement plu. Elle était aussi jolie que Joséphine, mais d'une autre façon. Elle avait des yeux bleus comme la mer des Caraïbes, de longs cheveux blonds, et le visage d'un rose délicat. Jolie à faire retourner les gens! Le monsieur disait que sa fille voulait Tu-tu. Était-elle à vendre?

Avant qu'Henri n'ait pu revenir de sa surprise, remonter son pantalon et commencer à marchander, Joséphine se trouva à côté de lui. Elle se mit à parler rapidement en créole, le patois de l'île que les Français ne comprendraient pas, «Tu-tu est un bel animal. Demande-lui un bon prix!»

Henri sourit largement, mais son esprit tourbillonnait. Une mangouste apprivoisée valait-elle plus ou moins qu'une mangouste de combat?

«Dépêche-toi, papa, achète-la moi», réclama la petite Française.

«Patience, ma petite. Ne vois-tu pas que c'est ce que j'essaie de faire? Faites votre prix, jeune homme.»

"Tu-tu is a fine mongoose," Josephine murmured, looking fondly at her pet. Tu-tu rose on his hind legs, his tail propped out behind him as a support. There he sat, his front paws curled on his chest, his small, alert face tipped up to Josephine, the never-failing source of bugs. "You are worth very much, Tu-tu."

"How much, Josephine?" Henri's voice shook with excitement. But when Josephine turned from Tu-tu to look at her brother, he saw tears shining in her eyes. She lifted her hands and

«Tu-tu est une belle mangouste», murmura Joséphine, en la regardant tendrement. Tu-tu s'éleva sur ses pattes de derrière, la queue déployée derrière elle comme soutien. Elle s'assit ainsi sur sa queue, ses pattes de devant repliées sur la poitrine, son petit museau vif dressé vers Joséphine, source inépuisable d'insectes. «Tu vaux très cher, Tu-tu.»

«Combien, Joséphine?» La voix d'Henri tremblait d'émotion. Mais lorsque Joséphine se détourna de Tu-tu pour regarder son frère, il vit des larmes luire dans ses yeux. Elle leva ses mains et les laissa retomber. Elle ne pouvait mettre

let them drop. She was unable to put a price on Tu-tu.

"I want my pet. Make him hurry, papa!" It was plain that the girl from France, although very pretty, had no manners, thought Henri. As for Josephine, she had no head for business, that was her trouble. She didn't want to sell to the mongoose man; and now she didn't want this girl to have Tu-tu, either, no matter what the price! However, she would soon forget Tu-tu when Henri took her to the place of the dolls and told her to pick one she wanted, regardless of cost!

Josephine leaned down, her face near Tu-tu's small one, and sadly she scolded him. "Tu-tu, when you are gone, remember me, hear? Remember me."

A heaviness came around Henri's heart. The most beautiful doll in the world would not make up for the loss of Tu-tu.

"Young man, is this pet for sale or is it not?"

un prix sur Tu-tu.

«Je veux la petite bête. Qu'il se dépêche, papa!» Il était évident que la petite Française, bien que fort jolie, était mal élevée, pensa Henri. Et quant à Joséphine, elle n'avait pas de tête pour les affaires, voilà tout. Elle n'avait pas voulu vendre Tu-tu à l'homme aux mangoustes et maintenant elle ne voulait pas non plus que cette petite fille l'ait à n'importe quel prix! Cependant elle aurait vite fait d'oublier Tu-tu lorsqu'Henri l'emmènerait voir les poupées et lui dirait de choisir celle qu'elle voudrait, quel que soit le prix. Joséphine pencha son visage vers le petit museau de Tu-tu et tristement la sermonna, «Tu-tu, quand tu seras partie, souviens-toi de moi, tu m'entends?»

Henri, le coeur lourd, comprit que la plus belle poupée du monde ne consolerait pas Joséphine de la perte de Tu-tu.

«Jeune homme, cette mangouste apprivoisée est-elle à vendre, oui ou non?»

Pet for sale . . .

Henri discovered that a great idea could be born in the uproar of the market as well as in the musical night beside the shining sea . . . He gave the leash to Josephine.

To the Frenchman he said, "Sir, this is my sister's pet and not for sale. But I will trap another mongoose which my sister will tame. She is very good at it, and perhaps in a month's time . . ."

"No, no!" the golden-haired girl cried. "I want Tu-tu, *now!*"

"So rude a girl deserves no pet," her father exclaimed. Nevertheless, he handed a card to Henri. "I have just come from France to work for the Department of Martinique. Here is my address. Let me know as soon as you have a trained mongoose for sale."

"A month!" The girl burst into tears, as her father led her away through the marketplace.

Mangouste apprivoisée à vendre . . .

Henri découvrit qu'une bonne idée pouvait naître dans le vacarme d'un marché aussi bien que dans la nuit musicale près de la mer brillante . . . Il donna la laisse à Joséphine.

Au Français il dit, «Monsieur, cette mangouste appartient à ma soeur et n'est pas à vendre. Mais j'en attraperai une autre que ma soeur apprivoisera, puisqu'elle y est très habile, et peut-être dans un mois . . .»

«Non, non, non!», s'écria la petite fille aux cheveux d'or. «Je veux Tu-tu *tout de suite!*»

«Une petite fille si mal élevée ne mérite pas Tu-tu», s'exclama son père. Néanmoins il tendit sa carte à Henri. «J'arrive de la France pour travailler pour l'Administration de la Martinique. Voici l'addresse de mon bureau. Faites-moi savoir quand vous aurez une mangouste apprivoisée à vendre.»

«Un mois!» La fillette éclata en sanglots, tandis que son père l'entraînait hors du marché.

"I will try to have one sooner," Henri called after them. It was desirable, in business, to try to please the customer.

When he turned to join Josephine and Tu-tu, he discovered that they had gone. He caught just a glimpse of his sister moving off through the crowd. She did not stop to show off her pet but wore Tu-tu across her shoulders like an expensive fur and walked as proudly as any queen.

Henri started in pursuit. There was the important matter of the

«J'essaierai d'en avoir une plus tôt», leur cria Henri. Il vaut mieux dans le commerce essayer de plaire au client.

Lorsqu'il se retourna pour rejoindre Joséphine et Tu-tu, il s'aperçut qu'elles étaient déjà parties, et ne put qu'entrevoir sa soeur qui s'éloignait dans la foule. Elle ne s'arrêtait plus pour montrer sa mangouste, mais la portait sur ses épaules comme une fourrure sans prix et marchait, fière comme une reine.

Henri se mit à leur poursuite. Il y avait cette affaire importante du compte

egg bill to be settled at once. Now that Tu-tu was Josephine's property, it was she who owed mama for the eggs the animal had eaten. She could arrange with mama to earn all those eggs, by working harder on the brooms and spending less time at play with Tu-tu!

Henri hitched his trousers, puzzling over another matter—a good price for a tame mongoose. He and Josephine were now partners in the new business and the profits must be shared equally.

To his surprise, he had no worry about the proper wording for the new sign. He and Josephine would have for sale an excellent product, one much in demand. All such a business needed was a two-word sign—PET MONGOOSES

to mark the stall at the market where the liveliest, friendliest, funniest pets in all of Martinique could be found.

des oeufs à régler tout de suite. Puisque Tu-tu appartenait maintenant à Joséphine, c'était elle qui devait à maman les oeufs que la bête avait mangés. Elle pourrait s'arranger avec maman pour payer tous les oeufs, en travaillant plus dur à faire des balais et en passant moins de temps à jouer avec Tu-tu.

Henri remonta son pantalon, essayant de résoudre un autre problème — un bon prix pour une mangouste apprivoisée. Lui et Joséphine étaient associés maintenant dans une nouvelle entreprise et il faudrait partager également les bénéfices.

Il s'étonna de ne pas avoir à chercher ce qu'il mettrait sur sa nouvelle enseigne. Joséphine et lui avaient un excellent produit à vendre, très demandé. Une telle affaire n'aurait besoin que d'une enseigne de deux mots —

MANGOUSTES APPRIVOISÉES

pour indiquer l'échoppe au marché où se trouveraient les animaux les plus vifs, les plus aimables et les plus amusants de toute la Martinique.

BOUCHERIE

CAFE
12

NEW HANOVER COUNTY PUBLIC LIBRARY
3 4200 00070 6172